宋词

田英章 书

三百首精选

楷书

上海交通大学出版社

SHANGHAI JIAO TONG UNIVERSITY PRESS

图书在版编目（CIP）数据

宋词三百首精选. 楷书／田英章书. —上海：上海
交通大学出版社，2014（2017 重印）
（华夏万卷）
ISBN 978-7-313-10578-3

Ⅰ.①宋… Ⅱ.①田… Ⅲ.①硬笔字–楷书–中小学
–法帖 Ⅳ.①G634.955.3

中国版本图书馆 CIP 数据核字（2013）第 274619 号

宋词三百首精选（楷书）

作　　者：田英章
出版发行：上海交通大学出版社
邮政编码：200030
出 版 人：郑益慧
印　　刷：成都蜀望印务有限公司
开　　本：787mm×1092mm　1/16
字　　数：84 千字
版　　次：2014 年 9 月第 1 版
书　　号：ISBN 978-7-313-10578-3
定　　价：15.00 元

地　　址：上海市番禺路 951 号
电　　话：021-64071208

经　　销：全国新华书店经销
印　　张：9.5

印　　次：2017 年 7 月第 9 次印刷

目 录

解鞍少驻初程。过春风十里，尽荠麦青青。自胡马窥江去后，废池乔木，犹厌言兵。渐黄昏，清角吹寒，都在空城。

杜郎俊赏，算而今重到须惊。纵豆蔻词工，青楼梦好，难赋深情。二十四桥仍在，波心荡、冷月无声。念桥边红药，年年知为谁生？

词牌的来源

第一种，本来是乐曲的名称。例如《菩萨蛮》，据说是源于唐代，女蛮国进贡，她们梳着高髻，戴着金冠，满身璎珞，形似菩萨。当时教坊因此谱成《菩萨蛮曲》。《西江月》《蝶恋花》等，都是属于这一类。第二种是摘取一首词中的几个字作为词牌。例如《忆秦娥》，因为依照这个格式写出的最初一首词开头两句是"箫声咽，秦娥梦断秦楼月"，所以词牌就叫《忆秦娥》，又叫《秦楼月》。第三种本来就是词的题目，如《渔歌子》是咏打鱼，《浪淘沙》是咏浪淘沙，这种情况是最普遍的。

雨霖铃

柳永

此词为柳永的代表作之一。上阕写从汴京南下时与恋人离别时难分难舍的情景。无论伏笔、写实、平仄阴阳的使用皆感情深挚。下阕则宕开一笔,先做泛论,得出"多情自古伤离别",最后以设问收尾,更是耐人寻味。

寒蝉凄切,对长亭晚,
骤雨初歇。都门帐饮无绪,
留恋处,兰舟催发。执手相
看泪眼,竟无语凝噎。念去
去,千里烟波,暮霭沉沉楚
天阔。多情自古伤离别,
更那堪,冷落清秋节!今宵
酒醒何处?杨柳岸晓风残
月。此去经年,应是良辰好
景虚设。便纵有千种风情,
更与何人说?

羊下，区脱纵横。看名王宵
猎，骑火一川明，笳鼓悲鸣，
遣人惊。念腰间箭，匣中
剑，空埃蠹，竟何成！时易失，
心徒壮，岁将零。渺神京。干
羽方怀远，静烽燧，且休兵。
冠盖使，纷驰骛，若为情！闻
道中原遗老，常南望、翠葆
霓旌。使行人到此，忠愤气
填膺，有泪如倾。

扬州慢

姜夔

尽管姜夔一生以游士终老，但他的词并不仅仅是游士生涯的反映，展现在他笔下的折射出多种光色的情感世界。诚然，由于生活道路和审美情趣的制约，较之辛词，姜词的题材较为狭窄，对现实的反映也略显淡漠。

淮左名都，竹西佳处，

望海潮

柳永

词人以大开大阖的笔法，描写杭州的繁荣景象。此词不但画面美，音律也很美，在柳词中别具神韵。他为了避免平铺直叙，在发端和换头之处都以一两句话勾勒提掇。其写景之壮伟，声调之激越，与东坡亦相去不远。

东南形胜，三吴都会，

钱塘自古繁华。烟柳画桥，

风帘翠幕，参差十万人家。

云树绕堤沙，怒涛卷霜雪，

天堑无涯。市列珠玑，户盈

罗绮，竞豪奢。 重湖叠巘

清嘉。有三秋桂子，十里荷

花。羌管弄晴，菱歌泛夜，嬉

嬉钓叟莲娃。千骑拥高牙，

乘醉听箫鼓，吟赏烟霞。异

日图将好景，归去凤池夸。

说。　应念岭表经年，孤光

自照，肝胆皆冰雪。短发萧

疏襟袖冷，稳泛沧溟空阔。

尽吸西江，细斟北斗，万象

为宾客。扣舷独啸，不知今

夕何夕。

六州歌头

张孝祥

此词感时抒愤，充满爱国激情。上片铺写江淮宋金对峙形势，下片倾诉壮志难酬的忠愤。"念"字领起，感念无地用武，岁月不居一层，朝廷休兵主和一层，遗民盼望恢复一层，末后收拢到志士的忠愤泪水。全篇叙事、陈情，次第井然，气局阔大，节奏紧促。

长淮望断，关塞莽然

平。征尘暗，霜风劲，悄边声

黯。销凝。追想当年事，殆天

数，非人力。洙泗上，弦歌地，

亦膻腥。隔水毡乡，落日牛

八声甘州

柳 永

这首词是柳词中描写羁旅行役的名篇。上片写面对傍晚的阵阵急雨洒落江面，经过一番风雨的洗涤，又到了清冷的秋天。下片写这样的季节，我真不忍登高远看，想起遥远的故乡，难收住回家的念头。

对潇潇暮雨洒江天，
一番洗清秋。渐霜风凄紧，
关河冷落，残照当楼。是处
红衰翠减，苒苒物华休。惟
有长江水，无语东流。
不忍登高临远，望故乡渺邈，
归思难收。叹年来踪迹，何
事苦淹留？想佳人妆楼颙
望，误几回、天际识归舟。争
知我，倚阑干处，正恁凝愁！

小故事 据传，柳永本来考中了科举，却不曾想到他作的《鹤冲天》中一句"忍把浮名，换了浅斟低唱"被皇帝听到了。皇帝很生气，把柳永的名字从上榜名单中抹去，笑骂："此人好去'浅斟低唱'，何要'浮名'？且填词去。"落榜后，柳永便自嘲自己是"奉旨填词"。

菩萨蛮

朱淑真

朱淑真本人的爱情生活极为不幸，作为一位女词人，她多情而敏感。词中写女主人公从缺月获得安慰。同是写孤独情怀，苏东坡在圆月上做文章，朱淑真则在缺月上做文章。移情于物，真有异曲同工之妙。

山亭水榭秋方半，凤

帏寂寞无人伴。愁闷一番

新，双蛾只旧颦。起来临

绣户，时有疏萤度。多谢月

相怜，今宵不忍圆

念奴娇·过洞庭

张孝祥

这首词是作者泛舟洞庭湖时即景抒怀之作。开篇直说地点与时间，然后写湖面、小舟、月亮、银河。此时作者想起岭南一年的官宦生涯，感到自己无所作为而有所愧疚。不过由于自己坚持正道，又使他稍感安慰。

洞庭青草，近中秋、更

无一点风色。玉鉴琼田三

万顷，着我扁舟一叶。素月

分辉，明河共影，表里俱澄

澈。悠然心会，妙处难与君

定风波

柳 永

这是一首写爱情的词篇,具有鲜明的民间风味,是柳永"俚词"中具有代表性的作品。这首词以一个少妇的口吻,抒写她同恋人分别后的相思之情,刻画出一个天真无邪的少妇形象。

自 春 来、惨 绿 愁 红 芳,
心 是 事 可 可。日 上 花 梢 莺
穿 柳 带,犹 压 香 衾 卧 暖 酥
消,腻 云 軃 终 日 厌 厌 倦 梳
裹。无 那! 恨 薄 情 一 去 音 书
无 个。早 早 知 恁 么,悔 当 初、
不 把 雕 鞍 锁 向 鸡 窗 只 与
蛮 笺 象 管,拘 束 教 吟 课 镇
相 随,莫 抛 躲 针 线 闲 拈 伴
伊 坐 和 我,免 使 年 少 光 阴
虚 过 过。

江山知何处？回首对床夜
语。雁不到、书成谁与？目尽
青天怀今古，肯儿曹恩怨
相尔汝？举大白，听《金缕》。

临 江 仙

夜登小阁，忆洛中旧游

陈与义

此词以今昔对比手法，追忆洛阳旧游之乐，抒发南渡后的悲慨。词句写的是宋徽宗政和年间，天下承平无事，作者参加文人雅集，其乐融融。杏花疏影，景色清幽；倚笛而歌，清韵悠远。奇丽而不雕琢，自然而又妍倩，就像李白《古风》所说的"清水出芙蓉，天然去雕饰"。

忆昔午桥桥上饮，坐
中多是豪英。长沟流月去
无声。杏花疏影里，吹笛到
天明。　二十馀年如一梦，
此身虽在堪惊。闲登小阁
看新晴。古今多少事，渔唱
起三更。

浣溪沙
晏殊

这是词人的一首脍炙人口的小令，语言圆转流畅，明白如话，意蕴却含蓄深广，给人理性的启迪。"无可奈何花落去，似曾相识燕归来"，这首词的出名和此联工巧而浑成、流畅而含蓄的对句很有关系。

一曲新词酒一杯，去年天气旧亭台。夕阳西下几时回？无可奈何花落去，似曾相识燕归来。小园香径独徘徊。

浣溪沙
晏殊

光阴短若片刻，人生短暂有限。寻常的一次次离别，虚掷了年光，实非等闲之事，怎能不黯然销魂呢！既然离别已令人无奈，酒筵歌席就不必推辞，莫厌其频繁，正好借酒浇愁，及时行乐。

一向年光有限身，等闲离别易销魂。酒筵歌席莫辞频。满目山河空念远，落花风雨更伤春。不如怜取眼前人。

赏新晴黄蜂频扑秋千索，

有当时、纤手香凝惆怅双

鸳不到，幽阶一夜苔生。

贺新郎·送胡邦衡待制

张元幹

这首词打破历来送别词的旧格调，把个人之间的友情放在了民族危亡这样一个大背景中来咏叹，因此写来境界壮阔，气势开张。既有深沉的家国之感，又有真切的朋友之情；既有悲伤的遥想，又有昂扬的劝勉。

梦绕神州路。怅秋风，

连营画角，故宫离黍。底事

昆仑倾砥柱，九地黄流乱

注？聚万落千村狐兔。天意

从来高难问，况人情老易

悲难诉！更南浦，送君去。

凉生岸柳催残暑。耿斜河、

疏星淡月，断云微度。万里

玉楼春

晏 殊

此词写闺怨,颇具婉转流利之致。除头两句为叙述,其余几句都是通过白描手法反映思妇难以言宣的相思之情。上阕借景抒情,下阕用对比手法反衬相思虽苦却满怀思念。整词含义深刻,情真意切。

绿杨芳草长亭路,年
少抛人容易去。楼头残梦
五更钟,花底离愁三月雨。

无情不似多情苦,一寸
还成千万缕。天涯地角有
穷时,只有相思无尽处。

鹧鸪天

晏几道

此词表现的是一对恋人的"爱情三部曲":初盟,别离,重逢。此词造语精丽,构想新奇,于绮华中又见秀美,深为后代词论家所推赏。

彩袖殷勤捧玉钟,当
年拼却醉颜红。舞低杨柳
楼心月,歌尽桃花扇影风。

从别后,忆相逢,几回魂

忍见、双飞燕。今日江城春
已半。一身犹在乱山深处，
寂寞溪桥畔。春衫著破
谁针线。点点行行泪痕满
落日解鞍芳草岸。花无人
戴，酒无人劝，醉也无人管。

风入松

吴文英

此词上片情景交融，所造形象意境有独到之处。首二句是伤春，三、四句即写到伤别，五、六句则是伤春与伤别交织交融，形象丰满，意蕴深厚。下片写清明已过，风雨已止，天气放晴，但思念已别的情人，何尝忘怀？虽不忍去游故地而又不忍不去，尤见其情感浓深。

听风听雨过清明，愁
草瘗花铭。楼前绿暗分携
路，一丝柳一寸柔情。料峭
春寒中酒，交加晓梦啼莺。
西园日日扫林亭，依旧

梦 与 君 同? 今 宵 剩 把 银 釭

照, 犹 恐 相 逢 是 梦 中。

临江仙

晏几道

"落花"两句,名句千古。这是一首感旧怀人、伤离恨别之作。通篇用形象抒情,以境界会意,词人怀念歌女的难言相思,寓于暮春的景物描绘之中,词尽而意未尽。

梦 后 楼 台 高 锁, 酒 醒

帘 幕 低 垂。去 年 春 恨 却 来

时。落 花 人 独 立, 微 雨 燕 双

飞。 记 得 小 蘋 初 见, 两 重

心 字 罗 衣。琵 琶 弦 上 说 相

思。当 时 明 月 在, 曾 照 彩 云

归。

晏几道,北宋著名词人,号小山,晏殊第七子。后世将晏殊称为大晏,晏几道为小晏。他的词工于言情,语言清丽,感情深挚,作品有《小山词》。他的词中被后世传颂的名句不少。

舞低杨柳楼心月,歌尽桃花扇影风。　　——《鹧鸪天》

落花人独立,微雨燕双飞。　　——《临江仙》

月 斜 窗 纸。自 许 封 侯 在 万

里。有 谁 知 鬓 虽 残 心 未 死！

钗头凤

陆游

陆游初娶唐氏，夫妇感情甚美。然儿媳不合婆婆的心意，老人家活活拆散了这一姻缘。几年后的一个春日，陆游在家乡城南禹迹寺邂逅已经别嫁的前妻，她仍遣人送酒肴致意，使陆游惆怅莫名，即成此词，挥笔题写于园壁。

红 酥 手，黄 縢 酒。满 城

春 色 宫 墙 柳。东 风 恶，欢 情

薄。一 怀 愁 绪，几 年 离 索。错，

错，错。 春 如 旧，人 空 瘦。泪

痕 红 浥 鲛 绡 透。桃 花 落，闲

池 阁。山 盟 虽 在，锦 书 难 托。

莫，莫，莫！

青玉案

无名氏

此词语淡而情浓，事浅而言深，伤怀之意，唯一腔血泪可鉴。上阕写天涯羁旅，寂寞难耐；下阕更见夫妻情重，往事之温馨。此词情意深长，无华辞典故，语出天然。

年 年 社 日 停 针 线。怎

蝶恋花

欧阳修

此词写闺怨，词风深稳妙雅，深得李清照推崇。首句"深深深"三字，后人常叹其叠字之工。此词写景，由远而近，逐步推移，又做尽铺排，造足悬念，使人印象深刻。写情层层深挖，自然浑成，并非人为雕琢，备受激赏。

庭院深深深几许？杨
柳堆烟，帘幕无重数。玉勒
雕鞍游冶处，楼高不见章
台路。雨横风狂三月暮，
门掩黄昏，无计留春住。泪
眼问花花不语，乱红飞过
秋千去。

踏莎行

欧阳修

这首词的显著特点是构思别致，它打破了一般词作所采取的前景后情的寻常格局，而是上下片分别描写与离别有关的两个方面，并用离情相思这根线索把两者紧密地穿连起来，揉成统一的艺术整体，情景交融的手法巧妙地运用于各片之中。

候馆梅残，溪桥柳细，
草薰风暖摇征辔。离愁渐
远渐无穷，迢迢不断如春

鹊桥仙·夜闻杜鹃
陆游

这首词为作者在四川时所作。作者壮志未酬、抱负未展，即使身在故乡，听了杜鹃这悲切的啼声，精神上也禁受不住，何况身世苍茫，半生羁旅他乡，怎能不感慨万千、愁闷无穷呢？

茅檐人静，蓬窗灯暗，

春晚连江风雨。林莺巢燕

总无声，但月夜、常啼杜宇。

催成清泪，惊残孤梦，又

拣深枝飞去。故山犹自不

堪听，况半世、飘然羁旅！

夜游宫·记梦寄师伯浑
陆游

陆游有大量抒发爱国主义激情的记梦诗，在词作里也有。这首《夜游宫》主题就是这样。词的上片写的是梦境，下片写梦醒后的感想。梦境和实感，上下片呵成一气，有机地联系着，使五十七字的中调具有壮阔的境界和教育人们为国献身的思想内涵。

雪晓清笳乱起，梦游

处、不知何地。铁骑无声望

似水。想关河：雁门西，青海

际。睡觉寒灯里，漏声断、

水。 寸 寸 柔 肠, 盈 盈 粉 泪,

楼 高 莫 近 危 阑 倚。 平 芜 尽

处 是 春 山, 行 人 更 在 春 山

外。

玉楼春

欧阳修

作者西京留守推官任满,离别洛阳时和亲友话别,内心凄凉。在离筵上拟说归期,却又未语先咽。"拟把"、"欲语"两词,蕴含了多少不忍说出的惜别之情。然而作者并没有沉溺于一己的离愁别绪而不能自拔,而是由己及人,将离别一事推向整个人世的共同主题。

尊 前 拟 把 归 期 说, 欲

语 春 容 先 惨 咽。 人 生 自 是

有 情 痴, 此 恨 不 关 风 与 月。

离 歌 且 莫 翻 新 阕, 一 曲

能 教 肠 寸 结。 直 须 看 尽 洛

城 花, 始 共 春 风 容 易 别。

欧阳修在中国文学史上有着重要的地位,他大力倡导诗文革新运动,改革了唐末到宋初的形式主义文风和诗风。不仅如此,他还是一位千古伯乐。欧阳修对有真才实学的后生极尽赞美、大力推荐。被他推荐的人中,有苏轼、苏辙、曾巩等文坛巨匠,还有程颢等理学家,他们后来都名扬后世。

卜算子·咏梅

陆游

> 词人舍貌摄神，上阕写哀梅不幸，处境险恶、孤独；下阕颂梅节操。句句写梅，句句是自我写照，表明他高洁的人品。词人与梅花的傲骨，令人肃然起敬。此词实为咏梅名篇，传世杰作。

驿外断桥边，寂寞开

无主。已是黄昏独自愁，更

著风和雨。无意苦争春，

一任群芳妒。零落成泥碾

作尘，只有香如故。

诉衷情

陆游

> 陆游罢归山阴后作此词。上阕回忆当年英雄气概，抒发理想破灭、壮志蹉跎的愤慨。下阕感慨身老而胡未灭，表明词人虽壮心不已，但壮志未酬、功业未成的憾恨。结尾在强烈而鲜明的对比中概括了理想和现实的矛盾。

当年万里觅封侯，匹

马戍梁州。关河梦断何处，

尘暗旧貂裘。胡未灭，鬓

先秋，泪空流。此身谁料，心

在天山，身老沧洲。

采桑子
欧阳修

落英缤纷、柳絮纷飞的暮春景色，常会引起人们的惋惜之情。而欧阳修面对颍州西湖的暮春景色，却发出了赞美之声。昔日湖上游人不断、笙歌相随盛况已不复见，词人由此顿悟春天已经消逝。

群芳过后西湖好，狼
籍残红，飞絮濛濛，垂柳阑
干尽日风。笙歌散尽游
人去，始觉春空。垂下帘栊，
双燕归来细雨中。

渔家傲·秋思
范仲淹

这首词为宋代边塞词的开山之作。上阕写景，千嶂、孤城、长烟、落日为所见，边声、号角为所闻，联系起来就是一幅充满肃杀之气的战地风光。下阕抒情，爱国激情，浓重乡思，兼而有之，情调苍凉而悲壮，构成了复杂而矛盾的情绪。

塞下秋来风景异，衡
阳雁去无留意。四面边声
连角起，千嶂里，长烟落日
孤城闭。浊酒一杯家万
里，燕然未勒归无计。羌管

听

满江红

岳 飞

这是一首忠义慷慨、气贯长虹、充满战斗豪情和爱国精神的千古绝唱。此激愤之名篇，是中华民族的精神写照。后世读之，尤凛凛有生气焉。其结尾三句，一片丹心，满腔热血，纵观全篇，神完气足。

怒发冲冠，凭栏处、潇潇

潇雨歇。抬望眼，仰天长啸，

壮怀激烈。三十功名尘与

土，八千里路云和月。莫等

闲、白了少年头，空悲切。

靖康耻，犹未雪。臣子恨，何

时灭！驾长车，踏破贺兰山

缺。壮志饥餐胡虏肉，笑谈

渴饮匈奴血。待从头收拾

旧山河，朝天阙。

悠悠霜满地，人不寐，将军

白发征夫泪。

苏幕遮

范仲淹

此词题材不脱传统离愁别恨，但意境阔大却为同类词少有。上阕写阔远的秋景，透出乡思，但手法由景及情，阔远浓丽，过渡自然，在以悲秋伤春为常调的词中，实属罕见。下阕直点思乡情怀，黯然凄怆，上下阕对照，有强调意味。

碧云天，黄叶地，秋色

连波，波上寒烟翠。山映斜

阳天接水，芳草无情，更在

斜阳外。　黯乡魂，追旅思，

夜夜除非，好梦留人睡。明

月楼高休独倚，酒入愁肠，

化作相思泪。

木兰花

宋祁

宋祁因此词而名扬词坛，被称为"红杏尚书"。全词语言工丽，生动活泼。上阕写尽风光，下阕发出感慨：人生一世，艰难困苦，不一而足；欢娱恨少而忧患苦多，应及时行乐。莫当他是浅而不知深味者，恋物之作，实伤心之词也。

东城渐觉风光好，縠

炙，五十弦翻塞外声，沙场
秋点兵。马作的卢飞快，
弓如霹雳弦惊。了却君王
天下事，赢得生前身后名。
可怜白发生！

小重山

岳飞

一个充满热情的梦，就这样被惊破了。一腔难尽的心事，只有借琴音来倾诉。在"议和"声浪甚嚣尘上之中，谁又是这声裂弦索的真正知音？故园的松竹老了，壮士的鬓发白了，此刻充斥词境的，便只有朦胧月光下蟋蟀的凄苦悲吟……

昨夜寒蛩不住鸣。惊
回千里梦，已三更。起来独
自绕阶行。人悄悄，帘外月
胧明。白首为功名。旧山
松竹老，阻归程。欲将心事
付瑶琴。知音少，弦断有谁

皱波纹迎客棹。绿杨烟外

晓寒轻红杏枝头春意闹。

浮生长恨欢娱少，肯爱

千金轻一笑。为君持酒劝

斜阳，且向花间留晚照。

桂枝香

王安石

此词为作者登高望金陵，咏叹感怀之作。上阕借景描写金陵繁华壮丽，下阕借景描写六朝灭亡后的凄惨景象，抒发生于忧患，死于安乐的感慨，借古鉴今。王介甫只此一词，已足千古，其笔力清道，境界朗肃，两宋名家竟无二手。

登临送目，正故国晚

秋，天气初肃。千里澄江似

练，翠峰如簇。征帆去棹残

阳里，背西风酒旗斜矗。彩

舟云淡，星河鹭起，画图难

足。念往昔，繁华竞逐，叹

簌 又 重 数 罗 帐 灯 昏， 哽 咽

梦 中 语： 是 他 春 带 愁 来， 春

归 何 处？ 却 不 解 带 将 愁 去。

丑奴儿

辛弃疾

整首词中突出一个"愁"字，言浅意深，令人回味无穷。诗人写的是他自己的经历，却也道出了无数的年轻人都容易犯的一个毛病，在根本不懂什么是忧愁的时候，但却也总爱表现出一副踌躇满志的感觉，最后也只不过是"为赋新词强说愁"而已。

少 年 不 识 愁 滋 味，爱

上 层 楼 爱 上 层 楼， 为 赋 新

词 强 说 愁。 而 今 识 尽 愁

滋 味， 欲 说 还 休 欲 说 还 休，

却 道 天 凉 好 个 秋。

破阵子

为陈同甫赋壮词以寄之

辛弃疾

本篇以浪漫主义与现实主义的虚实结合方法，来驰骋壮志。这首"壮词"，气势恢弘，慷慨激昂。从结构上看，构思奇特，结构奇变。它打破一般填词上片写景，下片抒情的传统写法。梦境写得雄壮，现实写得悲凉；宣泄了壮志难酬的一腔悲愤。

醉 里 挑 灯 看 剑， 梦 回

吹 角 连 营 八 百 里 分 麾 下

门外楼头，悲恨相续。千古

凭高对此，谩嗟荣辱。六朝

旧事随流水，但寒烟衰草

凝绿。至今商女，时时犹唱，

《后庭》遗曲。

水调歌头

丙辰中秋，欢饮达旦，大醉，作此篇，兼怀子由。

苏　轼

这首中秋词起句陡然发问，奇思妙语，破空而来，语句承接转折自然，一气贯注，在中秋皓月下抒发思亲的情怀。下阕融写实于写意，化景物为情思，但又表露了积极乐观的心迹。前人评，中秋词自东坡《水调歌头》一出，余词尽废。

明月几时有，把酒问

青天。不知天上宫阙，今夕

是何年，我欲乘风归去，又

恐琼楼玉宇，高处不胜寒，

起舞弄清影，何似在人间。

转朱阁，低绮户，照无眠。

万里如虎。 元嘉草草，封

狼居胥，赢得仓皇北顾。四

十三年，望中犹记，烽火扬

州路。可堪回首，佛狸祠下，

一片神鸦社鼓。凭谁问：廉

颇老矣，尚能饭否？

祝英合近·晚春

辛弃疾

这是一首描写离别相思的词篇。如果联系辛弃疾的思想实际和他一生的经历来看，这首词很可能寄托了作者由于祖国长期遭受分裂、不得统一而引起的悲痛之情。

宝钗分，桃叶渡，烟柳

暗南浦。怕上层楼，十日九

风雨。断肠片片飞红，都无

人管，更谁劝啼莺声住？

鬓边觑，试把花卜心期，才

不应有恨，何事长向别时
圆？人有悲欢离合，月有阴
晴圆缺，此事古难全。但愿
人长久，千里共婵娟。

念奴娇·赤壁怀古

苏轼

此词是苏轼豪放词的代表作，在词中塑造英雄形象，乃苏轼首创。上阕写景为英雄人物出场铺垫。下阕由遥想领起词句，塑造了青年将领周瑜的形象，其原因是目睹边疆危机和宋廷萎靡慵懦。此词气势磅礴，其境界宏大前所未有。

大江东去，浪淘尽，千
古风流人物。故垒西边，人
道是，三国周郎赤壁。乱石
穿空，惊涛拍岸，卷起千堆
雪。江山如画，一时多少豪
杰。遥想公瑾当年，小乔
初嫁了，雄姿英发。羽扇纶

吹落星如雨。宝马雕车香
满路凤箫声动，玉壶光转，
一夜鱼龙舞。　蛾儿雪柳
黄金缕，笑语盈盈暗香去。
众里寻他千百度，蓦然回
首，那人却在，灯火阑珊处。

永遇乐·京口北固亭怀古
辛弃疾

词人登临古迹，感时伤事，写下这篇千古传诵的名作。上阕怀古，称赞孙权(仲谋)、刘裕(寄奴)的英雄气概，暗讽今人之无能。下阕感时，以宋文帝为前车之鉴，告诫今人不要仓促北伐。杨慎《词品》称："辛词当以此《永遇乐》为第一。"

　　千古江山英雄无觅
孙仲谋处舞榭歌台，风流
总被雨打风吹去斜阳草
树寻常巷陌人道寄奴曾
住想当年金戈铁马，气吞

中，谈笑间，樯橹灰飞烟灭。

故国神游，多情应笑我，早

生华发。人生如梦，一尊还

酹江月。

定风波

三月七日，沙湖道中遇雨。雨具先去，同行皆狼狈，余独不觉。已而遂晴，故作此。

苏 轼

此词乃即景生情，而非因情造景。全词表现了词人乐观旷达的襟怀和通达豪放的人生态度，"一蓑烟雨任平生"便是其生命智慧之语。以小见大，将细微平常的生活和深邃的人生哲理有机地融合在一起是本词最鲜明的特色。

莫听穿林打叶声，何

妨吟啸且徐行。竹杖芒鞋

轻胜马，谁怕？一蓑烟雨任

平生。料峭春风吹酒醒，

微冷，山头斜照却相迎。回

首向来萧瑟处，归去，也无

风雨也无晴。

开早,何况落红无数。春且
住。见说道、天涯芳草无归
路。怨春不语。算只有殷勤,
画檐蛛网,尽日惹飞絮。
长门事,准拟佳期又误。蛾
眉曾有人妒。千金纵买相
如赋,脉脉此情谁诉?君莫
舞,君不见、玉环飞燕皆尘
土!闲愁最苦。休去倚危栏,
斜阳正在,烟柳断肠处。

青玉案

辛弃疾

词人运用婉约词派常用的工语绮词写元夕景色,以
灯火、游人之盛反衬词人所寻求的意中人的独特形象和
品格。结尾三句深蕴哲理,故被王国维喻为古今成大事
业、大学问者必经的三种境界的第三境。

东风夜放花千树,更

临江仙·夜归临皋
苏轼

这首词作于神宗元丰五年，即东坡黄州之贬的第三年。全词风格清旷而飘逸，写作者深秋之夜在东坡雪堂开怀畅饮，醉后返归临皋住所的情景，表现了词人退避社会、厌弃世间的生活态度和要求彻底解脱的出世意念。

夜饮东坡醒复醉，归
来仿佛三更。家童鼻息已
雷鸣。敲门都不应，倚杖听
江声。 长恨此身非我有，
何时忘却营营？夜阑风静
縠纹平。小舟从此逝，江海
寄余生。

江城子
乙卯正月二十日夜记梦
苏轼

此词为记梦悼亡之作。词人在悼念亡妻的同时，也抒发宦海沉浮的身世之感。词人不说自己如何如何，反说对方如何如何，使词味更加蕴蓄有味。此法类似杜工部的《月夜》，一切情境加起来就成了这一千古传诵的悼亡名篇。

十年生死两茫茫。不
思量，自难忘。千里孤坟，无

小故事　相传，苏东坡一次与王安石同行，偶见一房子根基已动，一面墙向东倾斜。王安石出上句以戏东坡："此墙东坡斜矣！"苏东坡仰头大笑，即吟下联反讥王安石："是置安石过也！"嵌名为巧，双关尤妙。

愁供恨玉簪螺髻。落日楼头，断鸿声里，江南游子。把吴钩看了，栏干拍遍，无人会，登临意。休说鲈鱼堪脍，尽西风季鹰归未？求田问舍，怕应羞见，刘郎才气。可惜流年，忧愁风雨，树犹如此！倩何人唤取，红巾翠袖，揾英雄泪！

摸鱼儿

淳熙己亥，自湖北漕移湖南，同官王正之置酒小山亭，为赋。

辛弃疾

上片写惜春、怨春、留春的复杂情感。下片借陈阿娇的故事，写爱国深情无处倾吐的苦闷。本作通过比兴手法，创造象征性的形象来表现作者对祖国的热爱和对时局的关切。拟人化的手法与典故的运用也都恰到好处。

更能消、几番风雨？匆匆春又归去。惜春长怕花

处话凄凉。纵使相逢应不

识，尘满面，鬓如霜。夜来

幽梦忽还乡，小轩窗，正梳

妆。相顾无言，惟有泪千行。

料得年年肠断处：明月夜，

短松冈。

水龙吟
次韵章质夫杨花词

苏 轼

只看首句，便知出手不凡，定下了全词的宗旨：既咏物象，又写人言情。全篇缘物生情，以情映物，使情景交融而至浑化无迹之境。本作的煞句总收上文，既干净利索，又余味无穷。回顾全篇，令人欣然有悟，情趣倍生。

似花还似非花，也无

人惜从教坠。抛家傍路，思

量却是，无情有思。萦损柔

肠，困酣娇眼，欲开还闭。梦

随风万里，寻郎去处，又还

从今又添,一段新愁。

蝶恋花

张 先

这是一首用拟人化手法写的咏物词。此词将咏柳写人打成一片,畅而不拘,收放自如,结句点醒题意,尤贵于深有寄托。

移得绿杨栽后院,学舞宫腰,二月青犹短。不比灞陵多送远,残丝乱絮东西岸。

几叶小眉寒不展,莫唱《阳关》,真个肠先断。分付与春休细看,条条尽是离人怨。

水龙吟

登建康赏心亭

辛弃疾

此词起句破空而来,将楚天千里的空阔寂寥之景展现出来,表达了自己孤独而无人理解的处境和心情。下阕借典故披露心迹不愿流于张翰、许汜之辈。全词豪中见雄,悲而又壮,沉郁中不乏痛快。

楚天千里清秋,水随天去秋无际。遥岑远目,献

被莺呼起。 不恨此花飞

尽，恨西园、落红难缀。晓来

雨过，遗踪何在，一池萍碎。

春色三分，二分尘土，一分

流水。细看来，不是杨花，点

点、是离人泪。

蝶恋花

苏轼

此词上阕写暮春和伤春情绪，却作旷达之语，这很少
见。伤春与旷达本不相关甚至对立。词人通过艺术形象和
音律使它们成为对立的统一。下阕写人，表达对人生和爱
情的看法。词中思想和现实的矛盾值得我们吟味。

花褪残红青杏小。燕

子飞时，绿水人家绕。枝上

柳绵吹又少，天涯何处无

芳草！ 墙里秋千墙外道。

墙外行人，墙里佳人笑笑

无计可消除，才下眉头，却

上心头。

凤凰台上忆吹箫

李清照

一般写离情，总是着重写别时如何难舍难分，此词则截取别前别后的两个横断面。别前词人神情慵怠，懒于梳妆。中间进行大幅度跳跃，过渡到别后。此时丈夫赵明诚远去，词人被重重烟雾所封锁，天天倚楼凝望楼前流水，觉得流水也对她的离别表示同情和怜悯。

香冷金猊，被翻红浪，

起来慵自梳头。任宝奁尘

满，日上帘钩。生怕离怀别

苦，多少事、欲说还休。新来

瘦，非干病酒，不是悲秋。

休休！这回去也，千万遍《阳

关》，也则难留。念武陵人远，

烟锁秦楼。惟有楼前流水，

应念我终日、凝眸。凝眸处，

渐 不 闻 声 渐 悄, 多 情 却 被

无 情 恼。

卜算子
黄州定慧院寓居作

苏 轼

此词咏孤雁,寄托自己的情思。上阕写静夜鸿影、人影两个意象融合在同一时空,暗示作者以雁咏人的匠心。下阕写孤鸿飘零失所,惊魂未定,却仍择地而栖,不肯同流合污。透过"孤鸿"的形象,容易看到词人诚惶诚恐的心境以及他充满自信、刚直不阿的个性。

缺 月 挂 疏 桐, 漏 断 人

初 静。 谁 见 幽 人 独 往 来, 缥

缈 孤 鸿 影。 惊 起 却 回 头,

有 恨 无 人 省。 拣 尽 寒 枝 不

肯 栖, 寂 寞 沙 洲 冷。

夜游宫

周邦彦

周邦彦词"语工而入律",为后世词人尊崇。本词末三句以前,闲闲写来,乍看初无深意,直到最后一语道破意蕴,乃觉通篇有情。此词的结构采用新巧的"悬念法",颇为新颖。

叶 下 斜 阳 照 水, 卷 轻

浪、沈 沈 千 里。 桥 上 酸 风 射

周邦彦被尊为婉约派的集大成者。他精通音律,作品多写闺情、羁旅,也有咏物之作。格律谨严,语言曲丽精雅,长调尤善铺叙。旧时词论称他为"词家之冠"、"词中老杜",著有《清真居士集》。

这 次 第 , 怎 一 个 愁 字 了 得 !

如梦令

李清照

一首小令中交代了事情的来龙去脉,全作好似一幅图画,而且还有对话,这可能是现代电影才能胜任的一种"镜头"表现法。然而它却实实在在是九百年前的词人所作,如此可见李清照的艺术功力是多么深厚。

昨 夜 雨 疏 风 骤 浓 睡

不 消 残 酒 。 试 问 卷 帘 人 ,

却 道 "海 棠 依 旧" 。 知 否 , 知 否 ?

应 是 绿 肥 红 瘦 !

一剪梅

李清照

上阕首句领起全篇,余下词句写词人一天内所做之事、所触之景,而望断天涯的情思,却不论日夜、舟上楼中都萦绕于词人心头。下阕则是纯抒情怀、直吐胸臆的独白。最后两句巧妙地将表情与感情结合在一起,表达此情此意,无法排遣。

红 藕 香 残 玉 簟 秋 。 轻

解 罗 裳 , 独 上 兰 舟 。 云 中 谁

寄 锦 书 来 ? 雁 字 回 时 , 月 满

西 楼 。 花 自 飘 零 水 自 流 。

一 种 相 思 , 两 处 闲 愁 。 此 情

眸子立多时，看黄昏灯火

市。古屋寒窗底，听几片、

井桐飞坠。不恋单衾再三

起有谁知，为萧娘，书一纸。

卜算子

李之仪

此词以长江为抒情线索，写绵绵无尽的相爱之意。言语朴素、明白如话、情思深挚，是文人学习民歌的佳作。用字的重叠，句式的回环，比喻等民歌常用的修辞方法，生动地表现了相思相恋的缠绵悱恻。全词通俗易懂，却又深蕴隽永。

我住长江头，君住长

江尾，日日思君不见君，共

饮长江水。　此水几时休，

此恨何时已。只愿君心似

我心，定不负相思意。

满庭芳

秦观

此词写离别惆怅之情，揉入了身世之感。以景抒情，以情结景。上阕写景，高远秀丽；下阕写离情，哀怨缠绵。情人背影已无处寻觅，离别之悲，身世之感一并袭来，堪称"古今伤心人者"。笔高而韵美，词人更因此词得"山抹微云学士"之名。

山抹微云，天连衰草，

袖。莫道不消魂，帘卷西风，

人比黄花瘦。

声声慢

李清照

此词悲秋抒怀，为词人后期之杰作。全词纯用赋体，白描铺叙，似浅实深，新俊传神。此词还大气包举，别无枝蔓，逐件事一一说来，却始终紧扣悲秋之意，真得六朝抒情小赋之神髓。这首词悲切难胜，浅语深情，俗词雅调，堪称千古绝唱。

寻寻觅觅，冷冷清清，

凄凄惨惨戚戚。乍暖还寒

时候，最难将息。三杯两盏

淡酒，怎敌他、晚来风急！雁

过也，正伤心，却是旧时相

识。满地黄花堆积，憔悴

损，如今有谁堪摘？守着窗

儿，独自怎生得黑！梧桐更

兼细雨，到黄昏、点点滴滴。

画角声断谯门。暂停征棹,
聊共引离尊。多少蓬莱旧
事,空回首,烟霭纷纷。斜阳
外,寒鸦万点,流水绕孤村。
销魂。当此际,香囊暗解,
罗带轻分。谩赢得青楼薄
幸名存。此去何时见也,襟
袖上,空惹啼痕。伤情处,高
城望断,灯火已黄昏。

浣溪沙

秦观

此词特点在于描绘了一个精美无比的艺术境界。起调很轻,悠然而来;而单句则显示出摇曳不定的情韵;结句境界虽小,却形成一种恬静悠闲的感觉。难怪此词乃秦少游《淮海词》小令中的压卷之作。

漠漠轻寒上小楼,晓
阴无赖似穷秋。淡烟流水

武陵春

李清照

这是词人晚年避乱金华期间所作。孑然一身,历尽世路崎岖和人生坎坷,所以词情极为悲戚。本词构思新颖巧妙,通过暮春景物勾出内心活动。本非悼亡,而实悼亡,此当为千古绝唱。

风住尘香花已尽,日晚倦梳头。物是人非事事休,欲语泪先流。 闻说双溪春尚好,也拟泛轻舟。只恐双溪舴艋舟,载不动许多愁。

醉花阴·重阳

李清照

此词表面是写深秋孤寂之感,实际是表达重阳思念丈夫之情。"帘卷西风,人比黄花瘦"乃点睛之笔,将词人相思之深、独居之苦和盘托出。其艺术上的特点是"物皆著我之色彩",用愁苦的心情看一切,那一切都蒙上了愁苦的色彩。

薄雾浓云愁永昼,瑞脑消金兽。佳节又重阳,玉枕纱厨,半夜凉初透。 东篱把酒黄昏后,有暗香盈

画屏幽。自在飞花轻似

梦，无边丝雨细如愁。宝帘

闲挂小银钩。

鹊桥仙
秦观

词人以牛郎织女相会的传说为题材，在聚散悲欢中翻出"两情若是久长时，又岂在朝朝暮暮"的新意，歌颂忠贞不渝的爱情，境界高于卿卿我我的儿女之情，使全篇为之一振。此词自由流畅，近于散文，却婉约蕴藉，余味盎然。

纤云弄巧，飞星传恨，

银汉迢迢暗渡。金风玉露

一相逢，便胜却人间无数。

柔情似水，佳期如梦，忍

顾鹊桥归路。两情若是久

长时，又岂在朝朝暮暮。

燕山亭·北行见杏花
赵佶

这首词借杏花的美丽凋零，抒发作者哀伤自己悲苦无告、横遭摧残的命运。此词是宋徽宗赵佶被金兵掳往北方时在途中所写，是对当时悲惨遭遇的写照。

裁剪冰绡，轻叠数重，

淡著胭脂匀注。新样靓妆,
艳溢香融,羞杀蕊珠宫女。
易得凋零,更多少无情风
雨。愁苦。问院落凄凉,几番
春暮。　凭寄离恨重重,这
双燕,何曾会人言语。天遥
地远,万水千山,知他故宫
何处。怎不思量,除梦里有
时曾去。无据和梦也新来
不做。

宋徽宗赵佶可谓琴棋书画,样样精通,唯独不适合做皇帝。北宋灭亡时,皇宫被金兵洗劫一空,据说宋徽宗听到财宝等被掳掠毫不在乎,等听到皇家藏书也被抢去,才仰天长叹几声。他在绘画、书法还有文化领域造诣很深。在书法上,他独创的瘦金体独步天下,这种字体,挺拔秀丽、飘逸犀利。在绘画上,宋徽宗在位时广收古物和书画,扩充翰林图画院,并命人编辑《宣和书谱》、《宣和画谱》等书,对绘画艺术有很大的推动和倡导作用,他自己更是画中高手,存世的画作有《四禽图》、《柳鸦图》等。

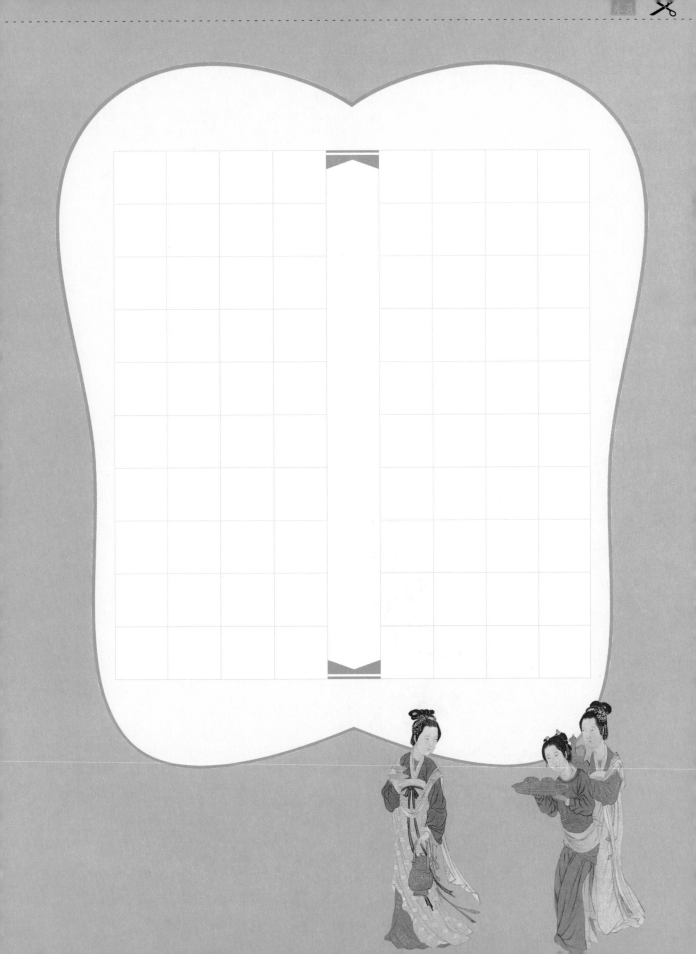